ALBERT DUCROCQ —raconte

le ciel

illustrations
de J.B. Tournay

nathan

Albert Ducrocq raconte...

De la découverte du système solaire à celle du grand Univers, Albert Ducrocq nous entraîne dans un fantastique voyage à travers l'espace et le temps. La voûte céleste, les constellations, les planètes qui, comme la nôtre, gravitent autour du Soleil, les comètes, les météorites... se mettent en place dans le vaste mouvement dont le cosmos est animé. Au-delà, toujours plus loin, à des distances qui défient notre imagination, nous pénétrons dans le monde des étoiles, des galaxies, des trous noirs...

S'appuyant sur les découvertes les plus récentes, les techniques de l'astronomie d'aujourd'hui, Albert Ducrocq nous montre comment on observe, on écoute, on capte les ondes qui parviennent jusqu'à nous. Il raconte, explique, pose les questions qui nous intéressent le plus. Documents en couleurs, dessins originaux et schémas illustrent un texte toujours passionnant, où le souci de l'exactitude se conjugue avec le plaisir de comprendre les principaux phénomènes célestes.

Les paysages lunaires et les grands volcans martiens, l'enfer vénusien et l'anneau de Saturne, les supernovæ et les pulsars, la naissance des étoiles et la recherche d'éventuelles autres civilisations... sont au rendez-vous. Plus que jamais, en regardant les étoiles, nous avons envie de rêver et besoin de savoir.

Maintenez immobile un appareil photographique : 25 min de pose vous donneront cette image du ciel nocturne.

La voûte céleste : pourquoi tourne-t-elle ?

Le ciel, c'est le nom que nous donnons à l'Univers vu depuis la Terre, les dimensions et la complexité de cet Univers dépassant tout ce que les hommes avaient autrefois imaginé. Il recèle sans doute en effet plus de 500 000 milliards de milliards d'objets, quelques-uns seulement pouvant être découverts à l'œil nu : ils nous donnent le très étonnant spectacle de la voûte céleste.

Une nuit d'automne fait assister au lever, à la culmination et au coucher de la constellation d'Orion.

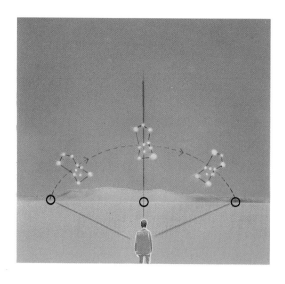

Un spectacle qui longtemps déconcerta, une première caractéristique du ciel nocturne étant le mouvement d'ensemble dont nous le voyons animé.

Il est banal en effet de le constater : les astres se lèvent à l'est et se couchent à l'ouest. Cela, vous le savez. Mais avez-vous seulement pris le temps de le constater ?

De l'est à l'ouest

Si vous êtes patient, nous vous suggérons d'observer le ciel une nuit durant. Ainsi à l'automne, dans nos régions en regardant en direction du sud, vous verrez les belles étoiles constituant le groupe dit Trois Rois apparaître successivement au-dessus de l'horizon après la tombée de la nuit. Puis vous les verrez s'élever dans le ciel avec l'ensemble de la constellation d'Orion dont elle fait partie, les astronomes ayant donné ce nom de constellation à des groupes d'étoiles proches les unes des autres qui occupent toujours les mêmes positions relatives sur la voûte céleste. Enfin, après quelques heures, ces étoiles descendront à l'ouest pour disparaître les unes après les autres.

Tournez-vous au contraire vos re-

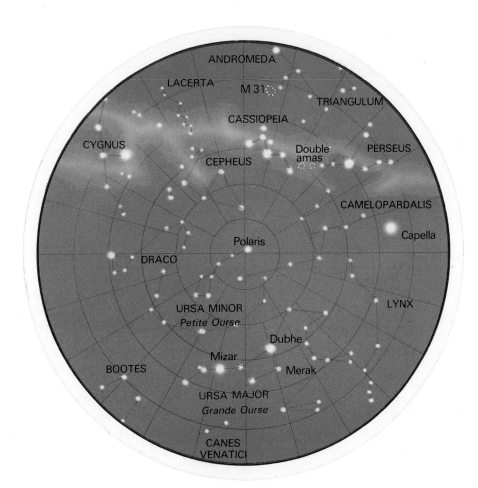

Tournant autour de l'étoile Polaire (Polaris), ces étoiles sont, dans nos régions, toujours visibles au-dessus de l'horizon Nord.

gards vers le nord ? Une étoile vous paraît demeurer fixe, occupant à toute heure et à toute époque la même position : l'étoile Polaire. C'est autour d'elle que toute la voûte céleste tourne, les constellations proches de cette étoile Polaire, à commencer par la « Grande Ourse » que l'on prend souvent comme repère, étant elles-mêmes toujours visibles. Si vous vous en éloignez, vous découvrirez le manège des étoiles disparaissant à un certain moment en dessous de l'horizon.

L'explication est simple. Le ciel vous semble tourner parce que vous le regardez depuis une planète qui effectue un tour sur elle-même en une journée, l'étoile Polaire présentant la particularité de se trouver presque exactement dans le prolongement de l'axe de notre globe.

L'aspect du ciel dépend du lieu et de l'époque. Allez-vous au Kenya ou à Madagascar ? Vous constaterez que les constellations de l'hémisphère Nord — dont notre Grande Ourse — se lèvent et se couchent alors que les étoiles proches du pôle Sud sont toujours visibles.

En manœuvrant une petite lunette, vous parviendrez à mettre un point brillant de la voûte céleste au centre du cercle de vision. Pas pour longtemps ! En moins d'une minute, ce point se déplacera et sortira du champ si vous ne changez pas la direction de votre lunette. Si cette dernière grossit 60 fois, le mouvement de la voûte céleste est 60 fois plus rapide et, de ce fait, perceptible...

Ressemblant à une casserole, cette partie de la Grande Ourse désigne, pour le non-spécialiste, la région du ciel la plus facilement identifiable.

Ce que jour veut dire

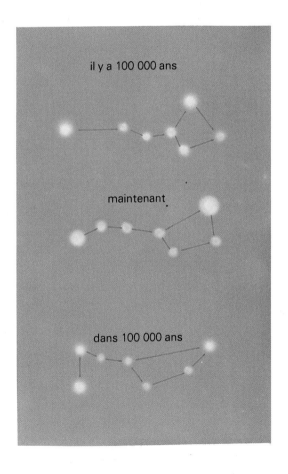

il y a 100 000 ans

maintenant

dans 100 000 ans

La Grande Ourse n'a cependant pas toujours eu son aspect actuel. Ce schéma nous rapporte son évolution due au mouvement des étoiles qui la constituent.

L'aspect des constellations ?

Il est pratiquement toujours le même. Il vous faudrait observer le ciel des milliers d'années durant pour que le mouvement propre dont les étoiles sont animées se traduise par une modification notable de leur position : les étoiles bougent, certes, elles se déplacent à des vitesses qui se mesurent en centaines de kilomètres par seconde, mais elles sont si loin que sur une durée de quelques dizaines d'années, vous ne les soupçonnez pas.

Les instruments, en revanche, décèlent ce mouvement. Il suffirait chaque année, le même jour, de prendre à la même heure une photographie du ciel. La comparaison des clichés ferait apparaître de légères différences, singulièrement quand il s'agit d'étoiles proches, rapides, telles que l'étoile de Barnard dans la constellation d'Ophiucus.

Si votre œil voit les étoiles immobiles les unes par rapport aux autres, une magistrale exception est constituée par la plus proche : le Soleil.

Car le Soleil est pour l'astronome une banale étoile. Si elle brille dans notre ciel d'un éclat extraordinaire — au point que lorsqu'elle est au-dessus de l'horizon, sa lumière nous interdit de voir les autres étoiles —, c'est en

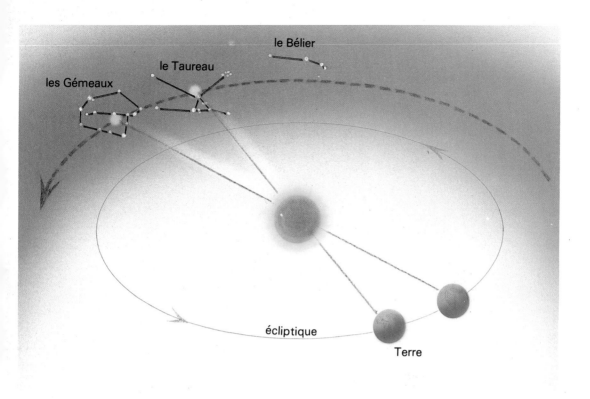

les Gémeaux

le Taureau

le Bélier

écliptique

Terre

raison de sa proximité. Et c'est une étoile autour de laquelle la Terre tourne ! Là est le second mouvement fondamental de notre planète. Il en résulte que le Soleil est vu depuis la Terre dans une direction continuellement changeante, de sorte que la notion de jour présente deux aspects.

Quel est en effet le temps que demande la Terre pour effectuer un tour sur elle-même par rapport aux étoiles ? 24 heures ?

Mais non ! Ce temps est seulement de 23 h 56 min 4 s. Tel est le jour sidéral, ou durée séparant, dans une lunette laissée fixe, deux passages d'une même étoile, le Soleil excepté.

Ce dernier n'est pas au rendez-vous, lui, parce que, pendant la durée d'un jour, la Terre s'est déplacée : il en résulte pour le Soleil un retard représentant 3 min 56 s exactement. Autrement dit, le Soleil retrouve la même place dans le ciel au bout de 23 h 56 min 4 s + 3 min 56 s, soit 24 heures, ou un jour solaire.

En raison de la rotation de la Terre autour du Soleil, ce dernier se trouve début juin dans le Taureau, début juillet dans les Gémeaux, etc.

En réalité, la Terre ne tourne pas rond. Son intérieur est fluide. Il renferme des masses en mouvement qui ralentissent ou accélèrent sa rotation. Ces irrégularités sont mises en évidence lorsqu'on regarde les étoiles. Ainsi, leur observation a permis de constater qu'entre 1960 et 1980, la Terre fut « terriblement » lente. A plusieurs reprises, il a fallu ajouter une seconde à l'année.

les Poissons le Verseau Ophiucus la Balance

le Capricorne le Sagittaire le Scorpion

Les signes du Zodiaque

Quelques traits évoquant une balance valurent ce nom à la constellation que l'on imagina de représenter ainsi.

Parce que la Terre tourne autour du Soleil, celui-ci occupe au cours de l'année différentes places sur une carte du ciel.

Mais comment peut-on repérer sa position ? Lorsqu'il brille, nous ne voyons pas les autres étoiles...

Nous ne les voyons pas, mais elles existent ! Regardez par exemple la voûte céleste peu après le coucher du Soleil, ou juste avant : vous verrez les étoiles près desquelles il se trouve. Et si vous avez la chance d'assister à une éclipse totale de Soleil — un événement exceptionnel —, vous pourrez distinguer en plein jour à la fois l'emplacement de notre astre et la constellation qu'il occupe.

Vu de la Terre, le Soleil fait ainsi le tour de la voûte céleste en une année, en suivant une trajectoire appelée écliptique. Celle-ci traverse 13 constellations, souvent appelées « maisons », dont 12 ont été choisies pour constituer la famille dite du Zodiaque. En outre, on admet que le Soleil passe

Vierge   le Lion   les Gémeaux   le Bélier

le Cancer   le Taureau

d'une constellation à la suivante le 21 de chaque mois. L'écliptique traverse en effet l'équateur céleste le 21 mars, et cette date correspond à l'équinoxe de printemps. Elle est prise comme origine du mouvement apparent du Soleil (en réalité, sur une longue période, la position de l'équinoxe de printemps varie ; elle fait le tour de l'écliptique en 25 783 ans, mais cette convention permet de simplifier les choses).

Attention au calendrier...

Si nous adoptons la nomenclature du Zodiaque, nous dirons qu'en septembre, le Soleil se trouve dans la Vierge. Évidemment, cette constellation n'est alors pas visible la nuit. En revanche, vous pourrez l'observez parfaitement six mois plus tard, lorsque le Soleil occupera sur la voûte céleste une position diamétralement opposée.

Ainsi, pour contempler une constellation dans les meilleures conditions possible, ne vous fiez pas au calendrier des signes.

Attendez six mois : elle se trouvera alors à l'opposé du Soleil — dans une direction antisolaire, disent les astronomes. Et la lumière de notre astre ne masquera plus son éclat.

Ainsi se présente la séquence des constellations que le Soleil traverse sur la durée d'une année, le double trait rouge désignant sa trajectoire (apparente, puisque c'est la Terre qui tourne autour du Soleil) sur la voûte céleste.

Il y a 2 000 ans, au temps où les anciens astrologues dressaient leurs horoscopes, le Soleil entrait dans le Bélier au moment de l'équinoxe de printemps. Aujourd'hui, parce que les équinoxes se sont déplacés, l'événement se situe dans les Poissons. Le décalage entre les signes des astronomes et celui des astrologues va ainsi toujours en s'accentuant.

Dans la partie gauche de la Lune, n'avez-vous jamais vu un visage de femme et pensé qu'elle pourrait regarder la Terre ?

Notre étonnante Lune

La Lune nous présente des phases ; selon sa position autour de la Terre, en effet, nous voyons différemment celui de ses hémisphères que le Soleil éclaire.

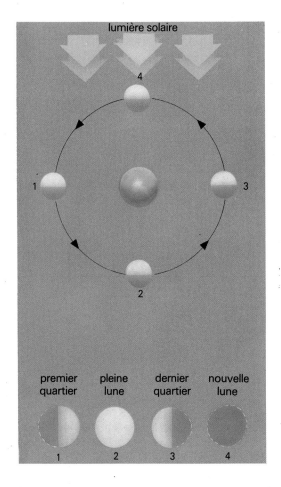

lumière solaire

4

1

3

2

premier quartier | pleine lune | dernier quartier | nouvelle lune

1　　　2　　　3　　　4

Dans le ciel nocturne, un astre nous offre son spectacle toujours changeant : la Lune. Elle est, vous le savez, notre satellite naturel. Trois fois et demie plus petite que la Terre, elle nous apparaît assez grande car elle est peu éloignée, 400 fois plus proche que le Soleil. Elle nous semble ainsi avoir à peu près le même diamètre que lui, pourtant 400 fois plus gros.

On a marché sur la Lune

Aujourd'hui, nous connaissons bien la Lune. Entre 1969 et 1972, des astronautes ont marché sur son sol. Ils en ont rapporté des roches dont l'analyse nous a notamment appris qu'elle a le même âge que la Terre. A l'origine, elle se composait d'ailleurs des mêmes matériaux. Mais elle a ensuite évolué différemment. A cause de sa faible masse — 81 fois moindre que celle de notre planète —, elle n'a pas pu retenir une atmosphère.

La Lune, elle aussi, se déplace dans notre ciel. Elle tourne en effet autour de la Terre et ce mouvement lui vaut de se retrouver au même endroit de la voûte céleste avec un retard quotidien d'environ 50 min. Si aujourd'hui elle se lève à 21 h, demain elle apparaîtra

au-dessus de l'horizon à 21 h 50, son déplacement sur la voûte céleste étant bien plus rapide que celui du Soleil. La Lune retrouve sa place par rapport aux étoiles en 27 j 7 h 43 min : pendant ce temps, on dit qu'elle accomplit sa révolution sidérale.

D'un Quartier à l'autre...

La Lune n'offre par ailleurs pas le même aspect, la même phase selon la manière dont nous la voyons éclairée. Lors de la Nouvelle Lune, elle se trouve entre la Terre et le Soleil. Celui-ci l'illumine par derrière et nous la voyons comme une personne à contre-jour : nous ne distinguons pas son visage. Au Premier Quartier, comme un profil éclairé sur sa droite, nous discernons très bien son côté droit, tandis que le gauche reste dans l'ombre. Au Dernier Quartier, il se passe exactement l'inverse. Entre les deux, lors de la Pleine Lune, la face visible de la Lune (toujours la même, car elle fait un tour sur elle-même dans le temps où elle décrit sa révolution autour de la Terre) est tout entière éclairée par le Soleil.

Entre une Nouvelle Lune et la Nouvelle Lune suivante, 29 j 12 h 44 min s'écoulent.

Ce ne sont sur la Lune que cratères avec, dans leurs arènes, d'autres cratères plus petits, voire minuscules, témoins de l'intense bombardement que, 4 milliards d'années durant, le sol sélène a subi.

La Lune met 24 h 50 pour se retrouver au même endroit sur la voûte céleste. Cela signifie que, depuis la Lune, la Terre vous semblera tourner sur elle-même en 24 h 50. Voilà pourquoi la marée, essentiellement due à l'attraction de la Lune sur les masses d'eau océaniques, se décale chaque jour de 50 minutes.

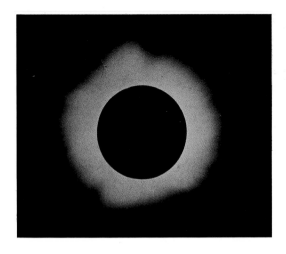

On dénomme couronne l'atmosphère du Soleil. Elle est soufflée vers l'espace par son puissant rayonnement.

Les éclipses, des spectacles rares

Lorsque, au moment d'une Pleine Lune, il arrive à la Terre d'arrêter la lumière que la Lune reçoit du Soleil, la Lune se trouve plongée dans l'obscurité. Tel est le phénomène appelé éclipse de Lune.

Nous voyons l'ombre de la Terre progresser sur notre satellite qui devient obscurci (il apparaît en fait

Une éclipse offre l'occasion de saisir la turbulence du Soleil. Sa surface constitue un océan de feu en furie, avec des vagues qui se meuvent à 500 km/s et des gerbes plus volumineuses que la Terre.

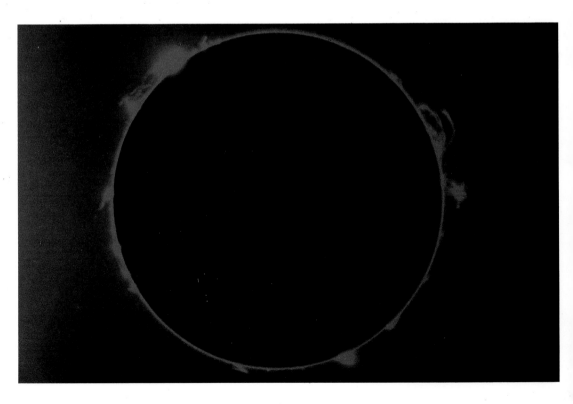

Une éclipse de Soleil fut visible le 30 mai 1984, totale à Rabat, partielle dans une large partie de l'Europe. Ce dessin nous montre, dans le ciel de Paris, le passage, ce jour-là, de la Lune devant le Soleil.

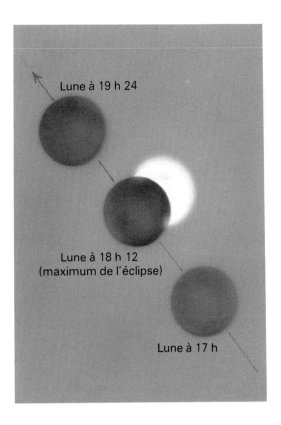

Lune à 19 h 24

Lune à 18 h 12
(maximum de l'éclipse)

Lune à 17 h

plus ou moins sombre, car notre atmosphère, qui joue le rôle d'une loupe, est plus ou moins transparente suivant sa pureté).

En raison des dimensions de notre planète, une telle éclipse peut durer plusieurs heures et nous cacher entièrement la Lune.

Les éclipses de Lune, parce qu'elles sont visibles depuis tout un hémisphère, nous semblent beaucoup plus fréquentes que les éclipses de Soleil. Ce n'est qu'une impression : dans un saros (durée de 18 ans et 11 jours qui ramène à peu près Terre, Lune et Soleil dans les mêmes positions respectives), on compte 28 éclipses de Lune et 43 éclipses de Soleil.

Une éclipse de Soleil se produit lorsque, au moment de la Nouvelle Lune, notre satellite, au lieu de passer dans notre ciel comme d'habitude, un peu au-dessus ou un peu au-dessous du Soleil, vient à passer sur le Soleil. Et ainsi, elle le masque.

Si l'éclipse est totale, il fait soudain nuit en plein milieu de la journée. Alors que les éclipses partielles sont fréquentes, ce phénomène reste quant à lui exceptionnel. Et même, lorsque la Lune passe exactement devant le Soleil, il arrive qu'elle ne le recouvre pas entièrement : la distance de la Lune à la Terre varie en effet approximativement entre 353 000 et 420 000 km. Si elle est trop faible au moment de l'éclipse, le disque de la Lune devient plus petit que celui du Soleil. L'éclipse laissera voir un anneau brillant, d'où son nom d' « éclipse annulaire ».

Les éclipses totales de Soleil sont rares, mais en outre, elles ne sont observables que dans une zone géographique très restreinte et, sous nos latitudes, jamais pendant plus de 6 min. Ainsi, en France, la plus récente — qui a eu lieu le 15 février 1961 — était visible depuis une mince bande qui, par chance, comprenait l'observatoire de Saint-Michel de Haute-Provence. La prochaine, en 1999, sera observable à Abbeville.
Quant aux Parisiens, ils n'ont pas connu d'éclipse totale de Soleil depuis 1724, et attendront la prochaine jusqu'en 2026 !

*Quand, en décembre 1971,
devant les monts Hadley,
David Scott grattait la régolithe...*

A la découverte des paysages lunaires

*Tournant autour de la Lune,
les astronautes d'Apollo contemplaient
toutes les 2 heures ce contraste :
au-delà des mornes et immuables
paysages lunaires, une Terre pleine
de vie qui se levait à l'horizon.*

Dans le cadre des missions *Apollo*, douze astronautes ont exploré six sites différents de la Lune. Les trois derniers équipages (ceux d'*Apollo 15, 16 et 17*) disposaient même d'automobiles. Au total ces hommes, au cours de 14 sorties, ont parcouru 95,4 km et découvert des régions très variées.

Ils en ont rapporté de curieuses impressions. Ainsi, les déplacements sur la Lune sont assez pénibles, comme si on marchait sur de la neige poudreuse, engoncé dans un scaphandre. Car le sol lunaire, labouré pendant des milliards d'années par des impacts de météorites, est recouvert d'une couche de poussière.

Un autre monde

On y saute facilement, car les poids y sont six fois plus faibles. Mais les masses, elles, restent les mêmes. Pour prendre de la vitesse, il faut faire un effort qui, comparativement, semble important. On se met en marche, et on s'arrête, plus difficilement que sur la Terre. Ainsi les mouvements doivent être calculés trois ou quatre pas à l'avance.

Les paysages sont mornes. Sur la Lune, les astronautes n'ont guère distingué de couleurs : les uns ont vu le

Dans la désolation du site Descartes, cet étonnant contre-jour nous fait voir le frêle module Antarès qui transporta sur la Lune les astronautes Alan Shepard et Edgar Mitchell.
Vous découvrez, en premier plan, les traces de la brouette utilisée par les astronautes.

sol gris verdâtre, les autres marron. En revanche, ils s'accordent tous sur la vivacité des contrastes : les zones éclairées sont aveuglantes, alors que les surfaces à l'ombre sont aussi noires que le ciel. Autant d'éléments qui rendent difficile une appréciation des distances.

Les premières missions avaient pour objectif des régions plates, appelées « bassins » (autrefois, on parlait de « mers »). Ensuite, les Américains se sont intéressés aux zones montagneuses. On a pu établir qu'à la différence de la Terre, dont le relief a été façonné essentiellement par son activité intérieure, la Lune doit son visage à l'action externe d'astéroïdes de toutes tailles. Après une période de volcanisme, le bombardement cosmique a en effet creusé des cratères d'un diamètre compris entre quelques millimètres et 200 km. Il a même par endroits « liquéfié » les terrains lunaires, créant des coulées et des éclaboussures.

Les informations recueillies par les astronautes sur le sol lunaire ont été confirmées par les engins d'observation, pilotés ou automatiques, placés en orbite autour de l'astre. Ils l'ont longuement survolé et en ont rapporté une étonnante collection de photographies. Elles nous ont entre autres révélé la face arrière, cachée, de la Lune, extrêmement accidentée : les bassins ne couvrent que 10 % de sa surface, alors qu'ils occupent 40 % de la face visible.

19

Une mire apportée par Venera 13 révéla les pâles couleurs du sol vénusien dont l'aspect surprend : une activité volcanique semble s'être manifestée récemment.

Un enfer nommé Vénus

Imaginez une planète de la taille de la Terre, née au même moment, de la même manière, à partir des mêmes matériaux. Mais une planète un peu plus proche du Soleil. A quoi ressemblerait-elle ?

On pourrait rêver d'un monde paradisiaque, une Terre où partout règnerait un éternel printemps. Et c'est bien cette vision enchanteresse que Fontenelle, autrefois, donnait de Vénus.

Or la réalité est bien différente : Vénus, c'est l'enfer. Les sondes spa-

L'Union astronomique internationale a officialisé ces noms — où figurent nombre de femmes — pour désigner les principales formations vénusiennes.

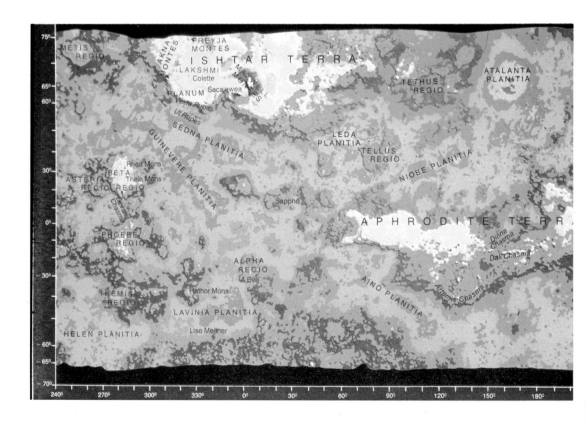

tiales ont mesuré sur notre voisine une température de quelque 470 °C, largement suffisante pour faire fondre le plomb et le zinc. Elles ont révélé la présence d'une atmosphère de dioxyde de carbone très épaisse, dont les couches supérieures recèlent des gouttes d'acide sulfurique...

Un piège à chaleur

Vénus connaît une sorte d'« effet de serre », comme une automobile exposée au soleil et dont les vitres sont relevées. Le verre, transparent à la lumière, est en revanche opaque à la chaleur. Celle-ci s'accumule dans le véhicule, mais n'en ressort pas. De la même façon, l'atmosphère vénusienne a piégé le rayonnement solaire.

Mais il n'en a peut-être pas toujours été ainsi. Dans cette atmosphère, on a en effet décelé, en quantité appréciable, un hydrogène fourni par la décomposition de l'eau. Sa présence laisse supposer qu'un grand océan recouvrait Vénus à une époque où les températures étaient plus clémentes.

Vénus pose aux scientifiques bien d'autres énigmes. Ils s'interrogent

Avant de mettre le cap sur la comète de Halley, l'engin Vega prendra la route de Vénus afin de larguer un ballon dans l'atmosphère de la planète voisine. Les Russes ont lancé Vega-1 le 15 décembre 1984 et Vega-2 le 21 décembre 1984.

notamment sur la rotation rapide de son atmosphère supérieure : elle tourne en 4 jours, alors que la planète tourne sur elle-même en 241 jours, en sens contraire de la Terre !

Les épais nuages qui entourent Vénus nous empêchent de voir son sol. Mais le radar permet d'y faire des sondages. Il a révélé un sol assez accidenté, avec de hautes montagnes, un impressionnant canyon, des cratères et des volcans. Quant aux photographies recueillies à la surface même de la planète par les *Venera* russes, elles montrent à certains endroits des pierres anguleuses dont la cassure a dû se faire récemment.

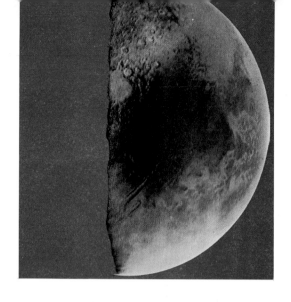

Mars nous montre tout à la fois des déserts, des étendues couvertes de cratères, et des régions actives.

Les grands volcans martiens

Des jours et des nuits qui ont des durées comparables aux nôtres : Mars effectue sa rotation en 24 h 39 min. Un axe incliné à peu près comme celui de la Terre : la planète connaît des saisons, aux contrastes accentués par les notables variations de la distance Soleil-Mars au cours d'une année, dont la durée atteint 687 jours. Cela, les astronomes le savaient déjà au siècle dernier. Et ils avaient même observé certains changements d'aspect sur la planète, notamment la disparition au printemps d'une calotte polaire.

Nous savons aujourd'hui que cette calotte polaire existe bien. Les sondes spatiales nous ont appris qu'elle se compose de dioxyde de carbone gelé et de glace.

Une très mince couche de givre

Car il y a de l'eau dans l'atmosphère martienne. Sur Mars même, il y a des milliards d'années, l'eau coulait sans doute sur de vastes terrains. Mais la planète, en raison de sa faible masse, n'a pu en garder que très peu : les plaques de givre photographiées par les *Viking* ne sont même pas épaisses de 0,001 mm. Aujourd'hui, la surface martienne n'est plus modelée que par

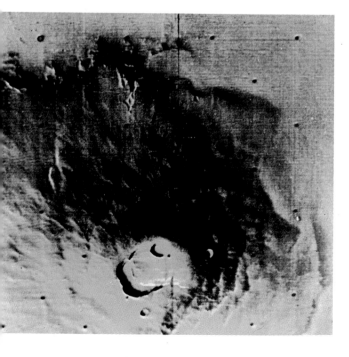

Ainsi se présente, dans la région martienne Tharsis, non loin de l'équateur, la plus impressionnante formation volcanique de tout le système solaire : le volcan Olympus Mons, dont la forme évoque une meule géante. Ses bords sont à plus de 1 km au-dessus des terrains avoisinants.

le vent. Il soulève par endroits beaucoup de poussières qui donnent à l'atmosphère sa couleur rose-saumon. Car le sol, auquel elles ont été arrachées, a une teinte rougeâtre due à la présence d'abondantes quantités de fer.

Par endroits, ce sol est sablonneux, hérissé parfois de dunes de poussière. Ailleurs, mieux protégé, il apparaît couvert de cratères creusés par le bombardement d'astéroïdes de toutes sortes.

Le plus grand volcan connu

Mais le spectacle le plus remarquable sur Mars, ce sont ses régions « actives », où le relief a été modelé par des phénomènes d'origine interne. Au niveau de son équateur, court sur des milliers de kilomètres un immense canyon, Valles Marineris, aux nombreuses ramifications, chacune aussi large que le grand canyon du Colorado.

Enfin, sur Mars, se dressent les plus imposants volcans du système solaire. Le record appartient à l'Olympus Mons : 26 km de hauteur et 600 km de diamètre à la base. Sur sa cheminée, les clichés ont révélé neuf écoulements successifs.

Recueilli en août 1976 par Viking Orbiter, ce cliché nous montre, à l'ouest de Chryse Planitia, de très étonnantes structures. Elles furent apparemment créées au temps où, depuis Lunae Planum, une eau abondante coulait.

Sur Mars, les volcans sont nombreux près de l'équateur. Les zones australes de la planète présentent en revanche de nombreux cratères météoritiques. Ils ont subsisté dans ces régions calmes, alors que l'activité volcanique a détruit ceux de la ceinture équatoriale.

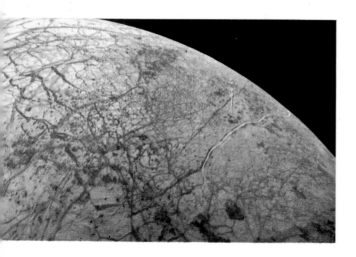

Satellite galiléen n° 2 de Jupiter, Europe est une patinoire fissurée, ce monde de glace n'offrant pas le moindre relief. La pureté de son limbe en témoigne.

Les mondes de glace

La planète géante de notre système, Jupiter, ne serait-elle pas plutôt une étoile ratée ? Depuis les observations des engins américains *Pioneer* et *Voyager,* les astronomes le pensent.

Jupiter en effet n'a pas de sol. C'est une boule fluide qui tourne encore très vite sur elle-même : sa rotation s'effectue en 9 h 50 min. Cette rapidité

Un gros astéroïde tomba sur Callisto ; la glace fondit et de grandes vagues se formèrent. Vite, toutefois, elles se figèrent en cratères concentriques.

crée les bandes « sombres » que montre une lunette. Elles correspondent aux régions où l'atmosphère riche en ammoniac et en méthane retombe après s'être élevée des zones claires, sous l'effet de la chaleur que dégage encore le cœur de la planète.

La matière laissée pour compte au large de Jupiter lors de sa formation a donné naissance à un disque qui enfanta des objets secondaires, comme des planètes se formèrent autour du Soleil. Certains de ces satellites de Jupiter sont d'ailleurs gros comme des planètes et très étonnants.

Des volcans très actifs

Ainsi, Io connaît un volcanisme d'une puissance sans égale (huit volcans actifs ont été photographiés par *Voyager 1*).

Il ne paraît pas être dû, comme sur la Terre, à la radioactivité des roches, mais plutôt aux tiraillements internes de Io, écartelé entre Jupiter et plusieurs autres satellites de cette planète.

Il semble que plus on s'éloigne de Jupiter, plus grande est la quantité de glace que ses satellites renferment. On observe le même phénomène autour de Saturne, entouré de mondes de glace encore plus nombreux.

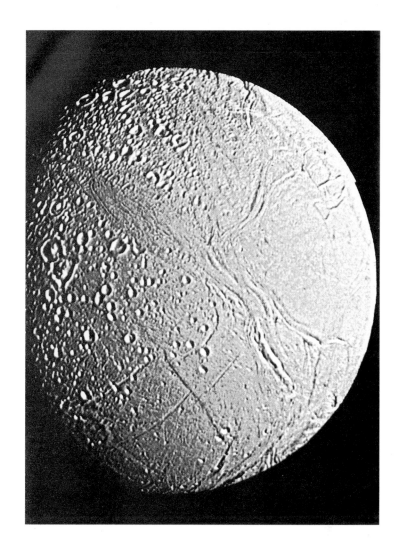

À côté des terrains anciens, marqués par la présence de cratères qu'aucun phénomène ne vint effacer, Encelade nous montre des structures d'écoulement, comme si une source de chaleur existait au sein de ce satellite de Saturne. C'est très étonnant, vu sa petite taille (diamètre inférieur à 500 km).

Ces mondes de glace présentent des cratères, comme la Lune et Mercure. Car à très basse température, la glace est aussi dure que du roc. Ces cratères présentent souvent un piton central : les astéroïdes, arrivant à grande vitesse, ont fondu localement la glace, la transformant en eau qui a jailli, mais s'est aussitôt recongelée.

Les cratères ont subsisté sur certains mondes de glace (Callisto, Dioné). Sur les astres qui avaient une activité interne, ils se sont en partie effacés. Ailleurs enfin, ils ont totalement disparu : ainsi, le second gros satellite de Jupiter, Europe, ressemble aujourd'hui à une patinoire fissurée.

318 fois plus massive que la Terre, Jupiter est la plus lourde des planètes. C'est son action qui a interdit aux milliers d'astéroïdes gravitant entre elle et Mars de se rassembler en une planète unique.

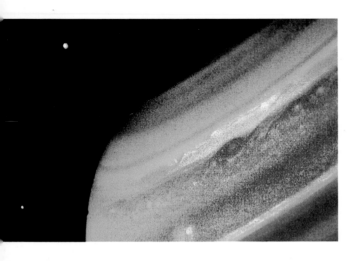

Comme l'atmosphère de Jupiter, l'atmosphère de Saturne s'élève en raison d'une chaleur émanant de la planète. Une rotation rapide de cette dernière a conféré aux formations l'aspect de bandes.

L'anneau de Saturne

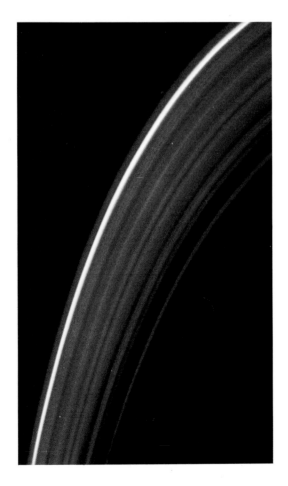

Scrutant une étoile du Scorpion à travers l'anneau de Saturne, Voyager 2 a pu étudier la transparence de ce dernier et nous en révéler l'étonnante complexité.

Cet anneau a longtemps intrigué les astronomes. Lorsque Galilée dirigea sa lunette vers Saturne en 1610, il ne put interpréter la formation qui accompagnait la planète. On dut attendre 1656 pour que Huygens dise Saturne « entourée par un anneau ne la touchant nulle part ».

Des blocs de plus en plus petits

Bientôt, Cassini annonça que cet anneau était double. Au XIXe siècle, Bond s'aperçut même qu'il était triple. Grâce aux engins spatiaux, nous savons aujourd'hui qu'il se compose de milliers d'anneaux élémentaires, constitués chacun de blocs de glace. Ces derniers atteignent peut-être un mètre près de Saturne, mais plus on s'en éloigne, plus leur taille diminue, jusqu'à se mesurer en millimètres à grande distance.

Les engins *Voyager* nous ont appris que l'anneau et certains satellites de Saturne entretiennent des relations étroites.

On avait longtemps cru que les cristaux de glace ou les grains de poussière qui tournent autour d'un corps céleste finissent toujours par s'agglutiner pour former de gros objets. Or, l'étude de Saturne conduit

à admettre qu'un équilibre peut exister entre de nombreux petits objets et quelques gros. Bien sûr, des collisions se produisent, et elles entraînent une redistribution de la matière. Mais l'équilibre de l'ensemble n'est pas remis en cause : il se maintient grâce à l'action de certains satellites.

Une merveille du ciel

Ainsi, les deux satellites de Saturne qui ont reçu les matricules 1980 S 26 et 1980 S 27 sont les « chiens de garde » de l'anneau F. Se trouvant de part et d'autre de cet anneau, ils empêchent en effet ses constituants de se disperser.

Les astronomes ont toujours considéré l'anneau de Saturne comme la merveille du ciel. Aujourd'hui, ils y voient en outre une merveille de la mécanique céleste où les satellites exercent des actions très subtiles. Là, l'un d'eux termine un anneau par un véritable « mur » ; ailleurs, on voit un anneau qu'un satellite a tordu.

Créée par ordinateur, cette composition colorée montre la subtilité des structures aussi bien dans l'atmosphère de la planète que dans son anneau où apparaissent, avec une grande finesse, les divisions de Cassini et de Bode.

Le plus gros satellite de Saturne, Titan, a un diamètre de 4 912 km. Ce monde intrigue beaucoup les scientifiques. Il est en effet entouré d'une épaisse atmosphère dont la composition devait être celle de la Terre lorsque la vie y apparut. Avec toutefois une différence de taille : la température est là-bas voisine de − 180 °C.

La carrière de Voyager 1 avait été sacrifiée pour que l'engin passe très près de Titan. En vain. L'opacité de son atmosphère a interdit d'en voir le sol.

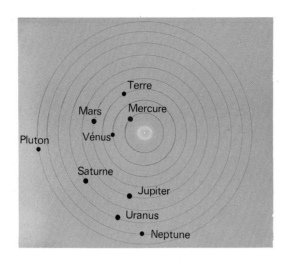

Tel se présentait (l'échelle des distances au Soleil n'étant pas respectée) le système solaire en janvier 1984.

Le voyage
des planètes

Comme la Terre, les autres planètes de notre système tournent autour du Soleil. Elles se déplacent donc elles aussi sur notre voûte céleste. Toutefois, pour nous, à l'œil nu, elles n'ont pas de dimensions apparentes : elles ressemblent ainsi à des étoiles.

En janvier 1984, toutes les planètes étaient simultanément visibles dans le ciel Sud durant la demi-heure qui précédait le lever du Soleil.

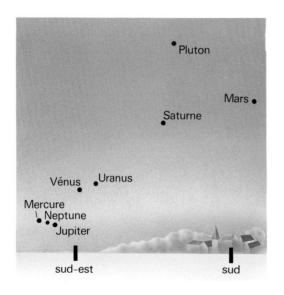

Et aussi longtemps que les hommes n'ont pas eu d'instruments d'observation, ils ont confondu étoiles et planètes. Ainsi ont-ils appelé Vénus, qui doit son éclat tout particulier à sa proximité, l'étoile du Berger, un nom qu'elle garde aujourd'hui.

Les errantes

A ces étoiles mobiles, ils avaient donné le nom de planètes — voulant dire errantes —, qui a été conservé pour désigner les autres terres du ciel. Les Anciens avaient cependant observé qu'à la différence des étoiles, qui occupent toujours les mêmes positions les unes par rapport aux autres, certains points changent de place.

Aujourd'hui, non seulement nous expliquons très bien le mouvement des planètes, mais nous savons où les trouver. Leurs orbites étant en général peu inclinées, elles ne s'écartent guère de l'écliptique. Il faut donc les chercher dans la même bande de ciel que le Soleil et la Lune. Comme tous les objets de la voûte céleste, elles se lèvent à l'est pour se coucher à l'ouest.

Si nous pouvions les observer depuis le Soleil, tout serait simple. Dans le cas de Jupiter, qui accomplit sa révolution autour de notre astre du

*L'échelle des éloignements au Soleil,
nous l'avons ici. Notez aussi
la sensible inclinaison de l'orbite de Pluton,
dont vous remarquez, en outre,
l'excentricité.*

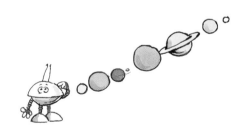

jour en 11,2 ans, nous saurions qu'au terme de ce temps, la planète se trouverait au même point de la voûte céleste. Or nous sommes sur la Terre, qui tourne elle-même autour du Soleil, mais plus près et plus vite. La trajectoire que Jupiter accomplit en 11,2 ans nous apparaît dès lors comporter une série de boucles, reflets du propre mouvement de notre planète.

En janvier 1984, à la fin de la nuit, en regardant le ciel vers le sud, on pouvait observer toutes les planètes en même temps. Fortuitement, elles se trouvaient alors, dans le système solaire, du même côté de la Terre ; cet événement remarquable a imprimé à l'orbite lunaire des déformations sans précédent connu...

*L'ombre d'une tige sur une graduation.
Tel est le principe de la plus vieille
horloge du monde : le cadran solaire.*

Quand les astre nous donnent la date, l'heure et le lieu

*Ce tableau nous montre la célèbre
« étoile des Rois Mages ». Les hommes
auraient-ils ainsi appelé l'étonnant
phénomène céleste qui, en l'an 6 avant
notre ère, valut à toutes les planètes
de rejoindre le Soleil ?*

Savez-vous que le ciel est un extraordinaire calendrier pour qui sait interpréter le mouvement des astres ?

Ainsi, selon la saison, le Soleil s'élève plus ou moins au-dessus de l'horizon. Aux différentes époques de l'année, ce ne sont pas toujours les mêmes étoiles que nous contemplons la nuit. Dans la journée, vous connaîtrez l'heure grâce à la direction du Soleil qu'indique l'ombre d'une tige : c'est le cadran solaire, beaucoup plus ancien que l'horloge.

Des repères très précis

On va aujourd'hui encore bien plus loin. On peut dater un événement s'il s'est produit en même temps qu'un phénomène céleste, une éclipse de Soleil ou une conjonction remarquable, par exemple. Ainsi, certains astronomes pensent qu'à l'étoile des Rois Mages correspond l'étonnante réunion des planètes du système solaire ayant eu lieu en l'an −6. Telle aurait pu être ainsi l'année de la naissance du Christ.

Les astres nous permettent en outre de nous repérer, de différentes façons.

Dans ce domaine, les quatre satellites principaux de Jupiter ont joué un rôle important. Ils avaient été décou-

En 1675, un paysan danois de 27 ans passionné d'astronomie, Olaf Roemer, découvrait des « inexactitudes » dans les tables des éclipses de Jupiter qu'avait publiées Cassini. Ces éclipses étaient en retard lorsque Jupiter était très loin de la Terre. Roemer comprit la raison de ce décalage : un temps alors plus long mis par la lumière pour nous parvenir. Cela lui permit tout à la fois d'en déduire la vitesse de la lumière et de corriger les tables d'éclipses…

verts par Galilée (d'où leur nom de galiléens), grâce à la lunette qu'il avait imaginé de diriger vers le ciel. Les astronomes calculèrent rapidement la durée de leurs révolutions et ils représentèrent bientôt le système de Jupiter comme une horloge à quatre aiguilles, simultanément visible de diverses régions de la Terre. Au XVIIe siècle, des observateurs placés en des points éloignés purent ainsi mettre leur montre à la même heure. Cela permit de créer les premières cartes précises de la Terre, car la différence de hauteur du Soleil au même moment entre deux points permit d'en calculer la distance. On s'aperçut que l'on avait surestimé les dimensions de la France, et Louis XIV en fut très contrarié.

On construit aujourd'hui, sous le nom de sextant spatial, un appareil qui permet aux astronautes de connaître l'endroit où ils se trouvent rien qu'en observant la position de la Lune par rapport aux étoiles.

Qui connaît la nature des éclipses peut en tirer profit… Le 1er mars 1504, Christophe Colomb menaça les Caraïbes de les priver de la lumière de la Lune s'ils ne lui apportaient pas de l'aide. Il savait en effet qu'une éclipse de Lune devait avoir lieu à 6 h du soir. A peine débutait-elle que les Caraïbes venaient ravitailler les Espagnols abondamment…

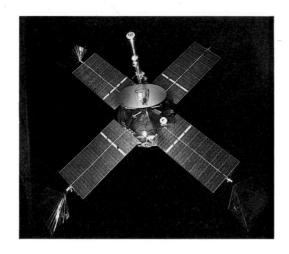

*Premier engin à avoir photographié
la planète Mars (le 15 juillet 1965),
Mariner 4 en fit connaître l'éloignement
exact, par appréciation du temps
de l'aller et retour d'un signal.*

Cadastrer le cosmos

Comment parvient-on à déterminer l'éloignement des astres ? Longtemps, seule fut connue la distance de la Lune. Car suivant les régions depuis lesquelles on l'observe, elle n'apparaît pas dans la même direction. Les astronomes purent ainsi facilement recourir à la technique de mesure des distances par visées, comme le font les géomètres à la surface de la Terre. Depuis lors, les calculs ont été affinés.

Notre satellite se trouve en moyenne à 384 400 km (distance séparant le centre de la Terre du centre de la Lune) : à peine vingt fois le tour de la Terre…

*Cook arrive en 1769 à Tahiti afin
de mesurer le temps que mettra Vénus
pour passer devant le Soleil.
On pourra ainsi en déduire l'éloignement
de ce dernier.*

Mais une telle technique n'est pas applicable aux autres corps célestes, beaucoup trop éloignés. Au XVIIIe siècle encore, on n'avait aucune idée précise des dimensions du système solaire, et notamment de la distance Terre-Soleil, dont la valeur moyenne est appelée unité astronomique ou UA. En 1769, grâce à un passage de Vénus devant le Soleil, cette distance fut pour la première fois estimée à un peu moins de 150 millions de kilomètres. Longtemps, les autres méthodes mises en œuvre n'améliorèrent pas sensiblement la précision. Au début de l'ère spatiale, l'incertitude était encore de 100 000 km ! Et les cartes de l'ensemble du système solaire demeuraient très grossières puisque l'éloignement des différentes planètes était calculé en fonction de cette distance Terre-Soleil.

Les progrès se sont toutefois considérablement accélérés, avec les engins spatiaux et avec le radar. Ce dernier émettant des signaux, il suffit de mesurer le temps qu'ils mettent à revenir sur la Terre après réflexion par un corps céleste pour en connaître l'éloignement. Dans le vide, en effet, les ondes se déplacent à la vitesse de 299 792 458 m/s.

Ainsi se présente le Voyager avec, à gauche, un générateur au plutonium 238, à droite les caméras, et au centre la grande antenne dont on attend des liaisons sur 20 milliards de kilomètres.

Les 50 sondes envoyées dans le système solaire en un quart de siècle (1959-1984) ont joué un véritable rôle d'arpenteurs : sur commande de la Terre, elles émettaient des signaux dont le temps de propagation indiquait leur éloignement.
Fait remarquable, toutes leurs mesures concordaient. Aujourd'hui, nous connaissons à 1 km près la valeur de l'unité astronomique — 149 597 791 km — et cette précision s'applique à une large partie du système solaire.

Porté par les Voyager, ce disque constitue une vidéo-encyclopédie de notre planète à l'intention de l'Univers.

Aux confins du système solaire

Au-delà de Saturne qui gravite à 1,4 milliard de kilomètres du Soleil, les éloignements des planètes augmentent de façon impressionnante. C'est à 2,7 milliards de kilomètres que se trouve Uranus, une planète que nous ne voyons pas à l'œil nu et dont la découverte par Herschel à la fin du XVIIIe siècle fut un événement.

Depuis le 10 mars 1977, nous savons que, comme Saturne, Uranus possède des anneaux. Ce jour-là, la planète passait devant une petite étoile de la constellation de la Baleine : à leur grande surprise, les astronomes virent sa lumière s'interrompre plusieurs fois avant qu'Uranus ne vienne à l'éclipser. Ultérieurement, une étude systématique a décelé neuf anneaux autour de la planète.

Le domaine d'Uranus sera exploré le 24 janvier 1986 par *Voyager 2*. Cet

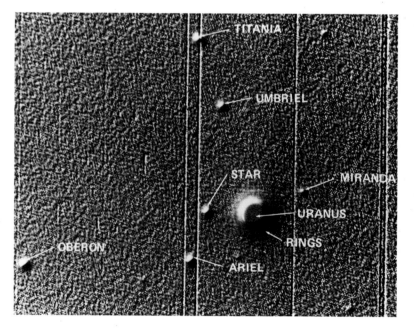

Une caméra électronique a pu, en avril 1984, recueillir à l'observatoire Carnegie de Las Campanos ce cliché montrant Uranus, ses cinq satellites (Miranda, Ariel, Umbriel, Titania, Oberon), une étoile (star) dans le champ de l'appareil, et ses anneaux (rings). Ceux-ci donnent à la planète un aspect très caractéristique.

5 septembre 1977 : une fusée Titan s'élance de Cap Canaveral, portant dans sa tête Voyager 1, l'engin le plus rapide jamais lancé par les hommes. À ce titre, il ira le plus vite le plus loin hors du système solaire.

engin aura ensuite, en août 1989, rendez-vous, à 5 milliards de kilomètres du Soleil, avec Neptune. Une planète qui demeure encore très mystérieuse, comme son environnement où un certain nombre d'objets disparates ont été repérés.

Au siècle dernier, c'est pour tenter d'expliquer les irrégularités d'Uranus, que des mathématiciens avaient a priori imaginé l'existence de Neptune, dont Adams et Leverrier avaient indiqué la position. Mais cette planète a elle-même un mouvement irrégulier et certaines anomalies d'Uranus restent mystérieuses.

On crut tenir la clé de l'énigme en 1930, avec la découverte de Pluton, que l'on imagina d'abord très gros. Mais il s'agit en fait d'un tout petit monde, 200 fois moins lourd que la Terre, même s'il possède un satellite, Chiron.

Et au-delà de Pluton ? L'étoile connue la plus proche se trouve à une distance 4 000 fois plus grande. Entre les deux s'étend donc un immense espace dont il serait très extraordinaire qu'il soit vide. Peut-être recèle-t-il une planète très lointaine, moyenne, grosse ou énorme, qui n'aurait jamais été décelée ? La découvrir est une mission des sondes américaines *Pioneer 10, Pioneer 11, Voyager 1* et *Voyager 2.*

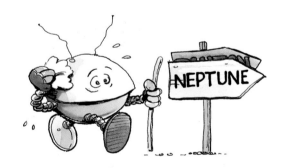

Quelle est la planète la plus éloignée du Soleil ? Pluton ! Ce n'est pas toujours vrai, car l'orbite de Pluton, très excentrique, coupe celle de Neptune. Depuis 1979 et jusqu'en 1999, la planète la plus éloignée du Soleil, c'est Neptune !

Comète trompeuse : aucune relation ne lie la direction de son cheminement et l'orientation de sa queue, toujours à l'opposé du Soleil.

L'origine des comètes

Le vent solaire se contente de frapper la Lune. Il souffle la magnétosphère de la Terre, qui constitue un bouclier l'empêchant d'atteindre notre globe.

Épisodiquement apparaissent dans le ciel des objets étonnants, accompagnés d'une queue impressionnante qui ressemble à une longue chevelure. Le mot latin *coma* (chevelure) leur a donné leur nom.

Autrefois, ces comètes terrorisaient les populations. Nous savons aujourd'hui qu'elles ne présentent aucun danger. Leur noyau — seule partie solide — est un bloc de glace sale dont la dimension dépasse rarement quelques kilomètres.

Très loin du Soleil

Mais d'où viennent ces curieuses formations ? Les astronomes imaginent ainsi leur histoire. Il y a 4,5 milliards d'années, lors de la formation du système solaire, une certaine quantité de matière resta isolée à une grande distance du Soleil, dans des régions où régnaient de très basses températures, de sorte que la combinaison de l'hydrogène et de l'oxygène créa des blocs de glace. Depuis lors, ils tournent, très loin de nous, lentement, autour du Soleil.

Parfois, perturbé par l'action d'un astre, l'un d'eux « tombe » vers les régions du système solaire inférieur où, bien entendu, la glace s'échauffe.

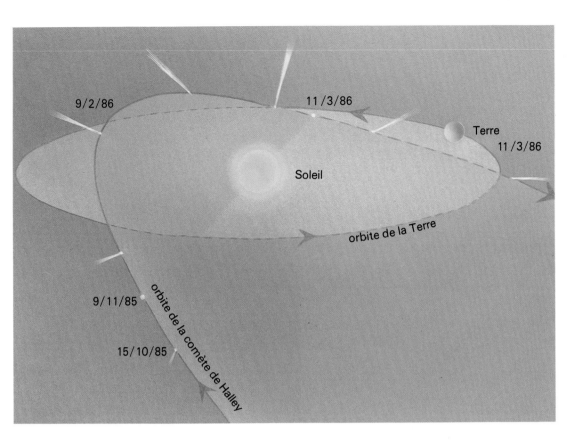

9/2/86

11/3/86

Terre
11/3/86

Soleil

orbite de la Terre

9/11/85

orbite de la comète de Halley

15/10/85

Mais se trouvant dans le vide, elle passe directement de l'état de solide à celui de vapeur. Ainsi se crée une enveloppe gazeuse « soufflée » à la fois par la lumière du Soleil et par l'expansion en spirale de son atmosphère, génératrice du « vent solaire ». En direction opposée au Soleil, se forme alors une double queue aux dimensions parfois considérables (100 millions de kilomètres ou plus), mais dont la matière est si diluée que des engins la traverseront sans encombre.

Astres en évaporation, les comètes sont en général très éphémères. L'une d'entre elles pourtant fait exception : la comète de Halley qui, depuis plus de deux millénaires, revient tous les 76 ans près de la Terre. Son prochain passage est attendu en 1986 ; cette année-là, quatre sondes la rencontreront en mars pour l'étudier et recueillir ainsi des informations sur la matière originelle du système solaire.

C'est vers le 11 mars 1986 qu'aura lieu le grand rendez-vous des engins avec la comète de Halley. Elle sera alors à 146 millions de kilomètres de la Terre, traversant le plan de son orbite.

Deux Vega soviétiques, le Giotto européen, le Planet-A japonais rencontreront la comète de Halley. Les Américains auront auparavant dirigé leur sonde ICE vers la comète Giacobini-Zinner : elle viendra à la rescousse observer la comète de Halley de loin, sans compter les observations qui seront conduites depuis le voisinnage de la Terre ou depuis Vénus.

Sur 100 astéroïdes circulant dans le système solaire, 25 sont vraisemblablement des résidus de noyaux cométaires.

Météorites et étoiles filantes

C'est par les belles nuits d'été, entre la mi-juillet et la mi-août, que nous pouvons, avec la conjonction de trois essaims, contempler dans notre ciel les plus beaux spectacles d'étoiles filantes.

Les comètes se désintègrent régulièrement. Ainsi l'espace interplanétaire est-il enrichi en poussières et débris de toutes tailles appelés météorites. Ces petits objets continuent à obéir aux

PRINCIPAUX ESSAIMS DE MÉTÉORITES				
Nom	Époque	Constellation	Taux horaire	Vitesse (km/s)
Quadrantides	1er au 4 janvier	Bouvier	40	41
Virginides	5 mars au 2 avril	Vierge	10	51
Lyrides	19 au 24 avril	Lyre	12	48
η Aquarides	21 avril au 12 mai	Verseau	20	64
ζ Perséides	1er au 17 juin	Persée	40	29
Ophiuchides	17 au 26 juin	Ophiucus	10	20
Taurides	24 juin au 5 juillet	Taureau	30	31
Capricornides	15 juillet au 15 août	Capricorne	5	23
δ Aquarides	15 juillet au 18 août	Verseau	10	41
Perséides	25 juillet au 17 août	Persée	50	60
Cygnides	11 au 22 août	Cygne	5	26
Aurigides	30 août	Le Cocher	30	25
Giacobinides	9 octobre	Dragon	1 000	23
Orionides	18 au 26 octobre	Orion	25	70
Taurides	15 octobre au 1er décembre	Taureau	15	28
Biélides	14 novembre	Andromède	5 000	76
Léonides	14 au 20 novembre	Lion	10 000	72
Phœnicides	5 décembre	Le Phénix	50	13
Géminides	7 au 15 décembre	Gémeaux	50	35
Ursides	17 au 24 décembre	Grande Ourse	15	34

lois de la mécanique céleste pour lesquelles le mouvement d'un corps ne dépend pas de sa masse. Dans les météorites, il faut ainsi voir autant de minuscules planètes, tournant autour du Soleil sur des orbites qui ne se déforment que lentement. Et elles restent groupées, formant des essaims.

On a pu établir une relation entre d'anciennes comètes et les essaims de météorites que la Terre croise à certaines époques de l'année.

Le « mur » des météorites

Ces essaims ont une dimension qui se mesure en millions, ou même en dizaines de millions de kilomètres. Leur rencontre avec notre planète (dont le diamètre représente 12 756 km) ne les fait pas disparaître. Toutefois, certaines de ces météorites entrent dans notre atmosphère à une vitesse atteignant des dizaines de kilomètres par seconde. A une altitude d'environ 100 km (le « mur » des météorites), elles sont brutalement freinées et leur énergie se transforme en une intense chaleur qui, en général, provoque leur combustion. Ainsi chauffée à blanc, la météorite nous offre le spectacle d'une étoile filante. Les étoiles filantes sont particulièrement nombreuses aux époques où la Terre rencontre un gros essaim : elles nous semblent alors traverser le ciel en une fraction de seconde.

Quant aux autres météorites, les plus nombreuses, que la Terre ne capture pas, elles se dispersent d'autant plus vite qu'elles sont plus légères. Elles ont en effet tendance à aller s'accumuler dans un disque, lui-même formé de poussières, faiblement lumineux, que l'on peut observer entre les planètes, car il diffuse le rayonnement solaire, créant la lumière dite zodiacale.

Le nom de radiant est donné au point du ciel d'où un essaim semble émaner.

Peu à peu, le système solaire s'appauvrit des astéroïdes qui sont absorbés par les planètes et leurs satellites. Mais dans le même temps, certaines comètes, après leur désagrégation, laissent pour résidu un bloc rocheux. Voilà de nouveaux astéroïdes ! Ils représenteraient actuellement le quart des astéroïdes existants.

L'observatoire de Paris est édifié en 1667. L'astronome n'a alors aucune idée des dimensions de l'Univers.

Les années-lumière

Les étoiles filantes — un terme très parlant mais impropre — sont des objets tout petits et très proches. Les véritables étoiles sont au contraire des objets énormes — souvent des centaines de milliers de fois plus lourds que la Terre — à des distances qui échappèrent longtemps aux moyens d'investigation des scientifiques.

C'est seulement au XIXe siècle que l'on put trouver un procédé pour mesurer l'éloignement des étoiles. Bessel partit d'une constatation : lorsque nous avançons devant un paysage, les objets proches nous semblent se déplacer par rapport à l'arrière-plan. Ce scientifique imagina alors d'apprécier le déplacement apparent des étoiles proches dû au mouvement de la Terre

C'est à 26 années-lumière que se trouve la belle étoile Véga de la Lyre (à gauche). Dans le Grand Chien (à droite), Sirius est à 8,6 années-lumière seulement.

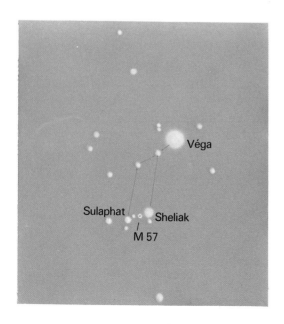

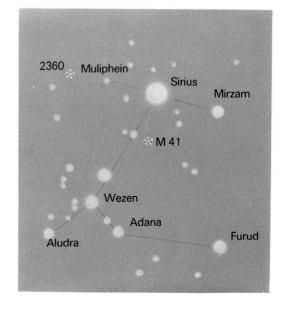

La lumière n'annonce pas seulement une nouvelle civilisation pour les hommes. Elle définit désormais le mètre : en 1 s, la lumière parcourt 299 792 468 m.

autour du Soleil. Un déplacement toujours très faible, mais qui sera d'autant plus important que l'éloignement de l'étoile est moindre.

Il fallut adopter une unité de longueur appropriée : l'année-lumière, distance que la lumière parcourt en une année, soit 9 461 milliards de kilomètres.

L'éclat... et l'éloignement

L'étoile la plus proche du Soleil, à 4,3 années-lumière, s'appelle Proxima. Invisible à l'œil nu, et inobservable depuis nos régions, elle fait partie de la constellation du Centaure. Véga est à 26 années-lumière. A un peu moins de 80 années-lumière, se trouvent les principales étoiles de la Grande Ourse. Il faut compter 470 années-lumière pour l'étoile Polaire, et 1 300 pour les Trois Rois d'Orion.

Ces chiffres montrent que l'éloignement d'une étoile n'a guère de relation avec son éclat. On mesure ce dernier par la *magnitude visuelle,* qui diminue d'une unité chaque fois que l'éclat est 2,5 fois plus fort (et pourra donc être exprimée par un nombre négatif si l'astre est très brillant). Ainsi, la magnitude visuelle est de 3 pour les étoiles de la Grande Ourse. Elle est de 0,4 pour Véga et de −1,7 pour Sirius, l'étoile la plus brillante du ciel.

On définit des *magnitudes absolues* en calculant l'éclat — pouvant varier dans le rapport de 1 à 1 000 000 — qu'auraient les étoiles si elles se trouvaient toutes à une même distance, fixée par convention à 32,4 années-lumière.

Unité de distance, l'année-lumière est aussi une unité de temps. La lumière d'une étoile située à 78 années-lumière a mis en effet 78 ans à nous parvenir. Nous la voyons donc telle qu'elle était il y a 78 ans. Plus nous plongeons dans l'espace, plus nous remontons le temps. Nous voyons ainsi, loin de nous, se dérouler des événements vieux de plusieurs milliards d'années.

*Le satellite SMM (Solar Maximum Mission)
a transmis cette image montrant,
lorsque le Soleil est en période de grande
activité, l'étonnante dynamique
de son atmosphère.*

L'éclat
des étoiles

*Luminosité-température des étoiles ?
En diagonale, du bas à droite au haut
à gauche, la série principale
des étoiles, de plus en plus grosses
et chaudes.
En haut à droite, les géantes.
En bas à droite, les naines blanches.*

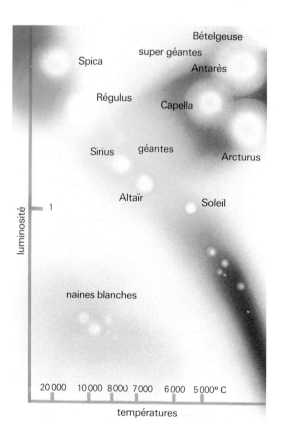

Les étoiles brillent parce que leur surface est à une température élevée : 5 500 °C pour le Soleil, 9 600 °C pour Véga, des dizaines de milliers de degrés pour les très grosses étoiles.

Et la couleur de l'étoile dépend de cette température, tout comme celle des objets terrestres, puisque les lois de la physique sont universelles. Si vous touchez un morceau de fer chauffé à 300 °C, il vous brûle bien qu'il ne soit pas encore lumineux. Vers 550 °C, il deviendra rouge cerise, puis rouge vif vers 1 000 °C, rouge orangé vers 2 000 °C. C'est la couleur des petites étoiles qui ont cette température. Au-delà, elles seront jaunes (notre Soleil), blanches (Sirius), qui atteint près de 8 000 °C), ou bleues…

Des millions de degrés

La température élevée de la surface des étoiles vient de celle de leur centre, incomparablement plus haute encore. Ainsi, on estime que le cœur du Soleil se trouve à 13 millions de degrés. Cette intense chaleur autorise les réactions dites thermonucléaires. Les noyaux des atomes, en se heurtant, changent de nature : l'hydrogène (matière première d'une jeune

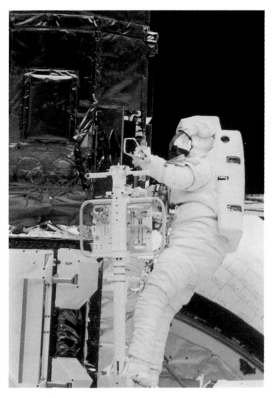

étoile) se transforme en hélium, en dégageant une énorme énergie, qui maintient les températures nécessaires à l'entretien des réactions nucléaires. On dit qu'il y a « compensation » : la quantité d'énergie produite à un moment donné au sein de l'étoile correspond à celle qui, traversant sa masse, se perd par rayonnement.

Un océan de feu

Les réactions nucléaires intenses se déroulent donc dans une toute petite région de l'étoile (sans doute, en ce qui concerne le Soleil, sa cinquantième partie), dans son cœur. Et la chaleur qu'elles dégagent chemine vers la surface par « convection », comme l'air chaud qui s'élève au-dessus d'un poêle. Les photographies du Soleil nous en présentent la surface comme un océan de feu en furie dont les vagues, en une seconde, s'élèveraient sur des centaines de kilomètres pour retomber avec un fracas fantastique, le milieu se trouvant de surcroît plongé dans un magnétisme intense.

C'est ainsi une puissance de 380 000 milliards de milliards de kilowatts qui émane du Soleil. Et certaines étoiles sont des milliers de fois plus puissantes que lui.

Grande première : la capture d'un satellite. En fauteuil volant, l'astronaute Nelson s'approche, le 8 avril 1984, du satellite SMM (en haut, à gauche). Recueilli dans la soute de Challenger (ci-dessus), ce satellite est réparé ; il sera remis à poste.

Les étoiles peu brillantes sont de très loin les plus nombreuses. Pour cette raison, la plupart des étoiles proches du Soleil sont invisibles à l'œil nu. C'est le cas de l'étoile voisine du Soleil, Proxima du Centaure, à 4,3 années-lumière.

Les hommes imaginaient autrefois les étoiles à la fois toutes proches et petites au point de tenir dans un berceau...

La naissance des étoiles

Les astronomes connaissent aujourd'hui, parmi les nuages de l'Univers qu'ils peuvent observer, les régions « fertiles » où se forment des étoiles. Ces nuages renferment divers gaz, essentiellement de l'hydrogène (cet élément, le plus simple de tous, représente 84 % de la matière du cosmos).

Et du fait de l'attraction universelle, ils se contractent.
Imaginons que dans quelque région

Nous voyons ici les six plus belles étoiles (Atlas, Alcyone, Merope, Electra, Maia, Taygeta) du jeune amas des Pléiades dans la constellation du Taureau.

d'un grand nuage, la concentration des gaz s'élève. Devenue plus dense, cette région exerce alors une attraction plus forte, et les matériaux voisins ont tendance à se diriger vers elle. Elle s'en trouve plus dense encore, et son pouvoir attractif augmente. Ainsi, dans l'Univers — Newton l'avait déjà compris —, les grands nuages sont instables : ils tendent à se fragmenter en un certain nombre d'objets qui, eux, se contracteront de plus en plus.

Un état d'équilibre

Suivant ce processus, les étoiles s'allument sous l'effet même de cette contraction. Quand les matériaux sont devenus suffisamment denses, leur rencontre est en effet génératrice de frottements créateurs de chaleur. Plus la contraction se développe, plus la température s'élève : elle peut alors atteindre le niveau auquel s'amorcent les réactions thermonucléaires, qui prennent la relève, et même produisent un rayonnement d'une puissance colossale qui tend à souffler la matière de l'étoile. Cette dernière trouvera, selon sa masse, un état d'équilibre entre la contraction qu'impose la loi d'attraction universelle et l'expansion que provoque son rayonnement.

Si la masse est trop faible, l'étoile ne peut atteindre le niveau de température auquel se déclenchent les réactions nucléaires. A l'opposé, dans le cas d'une masse trop forte, la violence de ces réactions entraîne une dislocation de l'étoile.

La condensation d'un nuage donne en général naissance à *plusieurs* étoiles. Et l'observation du ciel le confirme : les étoiles isolées sont rares. La plupart ont autour d'elles des « compagnons », autres étoiles ou objets devenus obscurs.

À 1 500 années-lumière dans la constellation d'Orion, la splendide nébuleuse M 42 recèle des centaines d'étoiles en cours de stabilisation, ou sur le point de naître à partir de concentrations visibles dans cette grande nappe de gaz et de poussières.

Il y a 10 milliards d'années, les nuages du cosmos se réduisaient à des gaz et les étoiles naissaient sans planètes. On pense que l'apparition de ces dernières est aujourd'hui systématique, car les nuages de gaz contiennent toujours environ 1 % de poussière.

Installé près de Bonn, à Effelsberg, ce radiotélescope de 100 m est manœuvrable par ordinateur en azimut et en hauteur.

Supernovae, pulsars et trous noirs

Plus une étoile est grosse et sa température élevée, plus ses réactions thermonucléaires sont puissantes et plus elle consomme rapidement son hydrogène. En quelques millions d'années, ou même beaucoup moins, elle pourra avoir entamé fortement ses réserves.

Ce dessin d'artiste nous montre un trou noir aspirant l'atmosphère d'une étoile voisine. La chute de cette matière vers le trou noir est génératrice d'un rayonnement non visible mais décelable par un télescope X qui révélera le phénomène.

*Dans la constellation du Taureau,
une supernova explosa il y a 940 ans.
L'événement engendra cette « Nébuleuse
du Crabe », région encore aujourd'hui
cataclysmique, siège du plus intense
rayonnement gamma de tout notre ciel.*

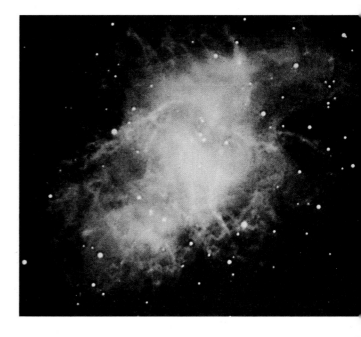

Elle connaît alors un changement de régime. Son hydrogène a en effet donné naissance à de l'hélium. Or, en tombant vers le centre de l'étoile, cet hélium est créateur d'une chaleur énorme. La température s'élève donc considérablement jusqu'à permettre des réactions thermonucléaires, dont l'agent sera cette fois l'hélium. Il deviendra béryllium ou carbone; progressivement, tous les éléments chimiques seront fabriqués, tandis que, surchauffée, l'étoile se dilatera pour prendre des proportions gigantesques.

Explosion ou contraction

Si l'objet est très lourd, les réactions thermonucléaires s'emballeront et le transformeront en une bombe atomique du ciel. On appelle ce phénomène « supernovae ». L'étoile finira par exploser. Elle émettra pendant quelques semaines la lumière de plusieurs milliards d'étoiles et enverra dans l'Univers des éléments lourds. Ceux-ci se combineront, donnant naissance à des poussières, qui se mélangeront aux gaz des nuages pour former de nouvelles étoiles, autour desquelles ces poussières engendreront des planètes.

Dans d'autres cas, l'étoile connaîtra une panne sèche. Elle cessera toute activité et sa contraction reprendra. Selon son importance, elle deviendra une « naine », de la masse du Soleil, mais de la taille de la Terre; ou encore une étoile à neutrons, ou « pulsar », de quelques dizaines de kilomètres de diamètre seulement, qui tournera sur elle-même en quelques secondes, voire en une fraction de seconde; ou

encore un « trou noir », une étoile qui se contracte indéfiniment jusqu'à ce que sa matière se réduise à un point, avec une force d'attraction si grande qu'elle retiendra jusqu'à son rayonnement. Dès lors, rien n'émane plus de l'objet, d'où son nom.

Le pouvoir attractif d'un objet devenu trou noir est si grand qu'il interdit une évasion de sa lumière. Si donc cet objet est isolé rien n'en émanera. Nous le « verrons » toutefois par le fait que, sur le fond clair d'une nébuleuse, son emplacement sera marqué par une tache noire. D'où le nom qui lui a été donné.

Poètes et navigateurs s'interrogèrent, des millénaires durant, sur la nature de cette étonnante traînée blanchâtre dans leur ciel nocturne.

La Voie Lactée

La radio-astronomie a permis de parfaitement comprendre la structure de notre Galaxie, avec ses bras multiples, le Soleil occupant le bord de l'un d'eux.

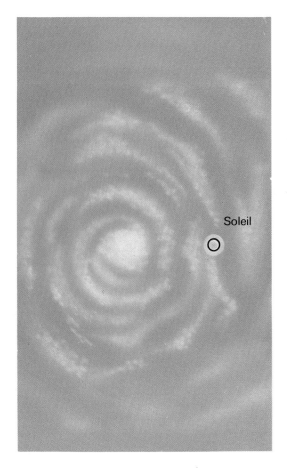

Les quelque 4 000 étoiles visibles à l'œil nu se situent pour la plupart à des dizaines ou des centaines d'années-lumière. Mais ce n'est rien encore. A moins de 500 années-lumière, doivent exister un million d'étoiles, dont nous ne voyons que les plus brillantes.

Avec des instruments puissants, les astronomes découvrent les étoiles peu lumineuses de notre voisinage et observent aussi, plus loin, de nouvelles étoiles, toujours plus nombreuses à mesure que la distance croît.

Une grande famille d'étoiles

Pourtant, il arrive un moment où le nombre des étoiles diminue considérablement. Les scientifiques ont ainsi compris qu'elles constituent une grande famille en forme de lentille, épaisse de 10 000 années-lumière environ pour un diamètre de 100 000 années-lumière, et qui contient au moins 300 milliards d'étoiles, très irrégulièrement réparties ; cette famille, notre Galaxie, ayant la forme d'une spirale. Le Soleil se trouve au bord de l'un de ses bras, à 33 000 années-lumière du centre, où peut-être un milliard d'étoiles sont très proches les unes des autres. Dans ce noyau, la densité de matière atteint peut-être une valeur

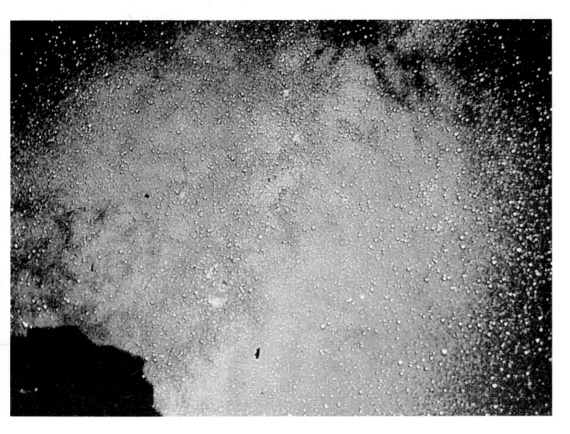

Dirigés vers la constellation du Sagittaire, qui désigne le centre de notre Galaxie, les télescopes découvrent des étoiles dont, sur des dizaines de milliers d'années-lumière, l'abondance ne cesse de croître.

telle qu'il faudrait regarder cette région de la Galaxie comme un trou noir géant.

Une traînée blanchâtre

La direction de ce noyau galactique est désignée par la constellation du Sagittaire, exceptionnellement riche en étoiles, et visible dans la Voie Lactée.

Celle-ci, longue traînée blanchâtre, vous l'admirerez, par une belle nuit sans Lune, traversant le ciel. Son aspect lui a valu son nom. En contemplant cette traînée, vous découvrirez par la tranche notre Galaxie, encore communément appelée elle-même Voie Lactée.

Les légendes anciennes imaginaient que la Voie Lactée était un jet de lait, apparu le jour où le jeune Hercule, affamé, avait mordu violemment le sein de sa nourrice. Le nom de Galaxie s'inspire aussi de cette histoire. Il vient de *galaktos*, en grec « lait » !

Ainsi se présente, vu dans un gros instrument, le petit point lumineux à peine discernable à l'œil nu entre les étoiles éta et zéta de la constellation d'Hercule.

Galaxies en tous genres

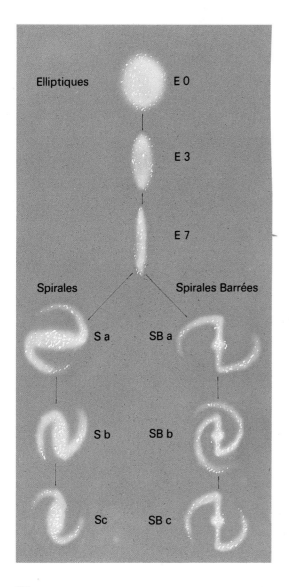

Elliptiques — E 0 — E 3 — E 7

Spirales — S a — S b — Sc

Spirales Barrées — SB a — SB b — SB c

Au-delà de la Voie Lactée, il n'y a rien, pensait-on autrefois. En fait, il y a beaucoup de choses, et d'abord dans son voisinage immédiat : elle s'entoure d'un halo riche en magnifiques amas d'étoiles, d'aspect sphérique, et dénommés pour cette raison « globulaires ». Le plus connu, l'amas d'Hercule, très ancien, se repère dans la constellation du même nom : il rassemble quelque 500 000 étoiles.

Et si vous étiez dans l'hémisphère Sud, vous découvririez dans le ciel deux petites galaxies satellites de la nôtre. On les appelle « nuages de Magellan », car le navigateur portugais les découvrit en entreprenant son tour du monde.

Et au-delà de notre Galaxie ? Depuis 1916 (année où fut mis en service le télescope du mont Wilson,

L'origine et l'évolution des galaxies sont encore à beaucoup d'égards mystérieuses pour l'astronome. Selon sa vitesse de rotation — faible, moyenne ou importante —, une galaxie serait sphérique, elliptique ou spirale. Le schéma ci-contre nous suggère un organigramme des galaxies.

Très semblable à la Voie Lactée, la galaxie d'Andromède nous permet d'imaginer comment nous sommes vus de là-bas.
À peine plus éloignée, la galaxie du Triangle (en dessous) est en revanche irrégulière.

ayant 2,54 m d'ouverture), on sait que dans la constellation d'Andromède, la tache que l'on désignait autrefois sous le nom de nébuleuse est en réalité une autre galaxie, sœur jumelle de la Voie Lactée. Elle se trouve à 2,2 millions d'années-lumière.

Dans toutes les directions apparaissent ainsi d'autres galaxies, qui, à travers l'Univers, se comptent sans doute par milliards. Les unes sont presque sphériques (comme de gros amas globulaires), d'autres elliptiques, ou spirales (comme la nôtre), ou spirales barrées, ou irrégulières...

Les étranges « quasars »

Par ailleurs, au cours de ces vingt dernières années, les astronomes ont observé des objets étranges — ils les ont dénommés « quasars », abréviation de *quasi stellar* — qui brillent comme des étoiles, mais avec un éclat plusieurs milliards de fois supérieur. Il pourrait s'agir de galaxies particulières, très lointaines, qui se réduiraient à leur noyau, ou plutôt dont nous ne verrions que le noyau.

La naissance, l'évolution, le classement des galaxies : autant de problèmes ardus à résoudre pour les astronomes. En revanche, ils sont sûrs d'une observation : la distribution très irrégulière des galaxies, comme si, telles les étoiles, elles étaient nées en groupes. Les galaxies s'organisent en effet en amas, qui eux-mêmes forment des super-amas.

En observant la galaxie d'Andromède, les astronomes ont compris quelle devait, par analogie, être l'aspect de la Voie Lactée vue de loin. Ils étudient très attentivement le noyau de cette galaxie, où peut-être plus d'un milliard d'étoiles constituent un trou noir géant. Il pourrait en aller de même au cœur de la Voie Lactée.

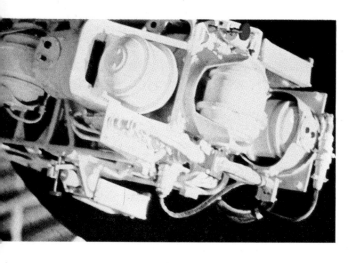

Ce télescope X à champ étroit fut installé par les Soviétiques sur leur station Saliout 4.

Les astronomies X et gamma

Les scientifiques cherchent aujourd'hui à recueillir tous les messages que nous envoie notre extraordinaire Univers. Et pour eux, les astronomies nouvelles ont un intérêt majeur.

Il y a encore quelques années, ils devaient se contenter d'analyser le rayonnement visible des astres. Or il n'est pas forcément le plus intéressant. Car la lumière n'est émise que par

Dans le carré noir du document ci-dessous, un très étonnant objet gamma a été repéré non loin du Soleil (à une distance certainement inférieure à 100 années-lumière) dans la constellation des Gémeaux. Les astronomes l'ont dénommé Geminga. Une curieuse résonance existe (sur 160 min) entre cet objet et le Soleil.

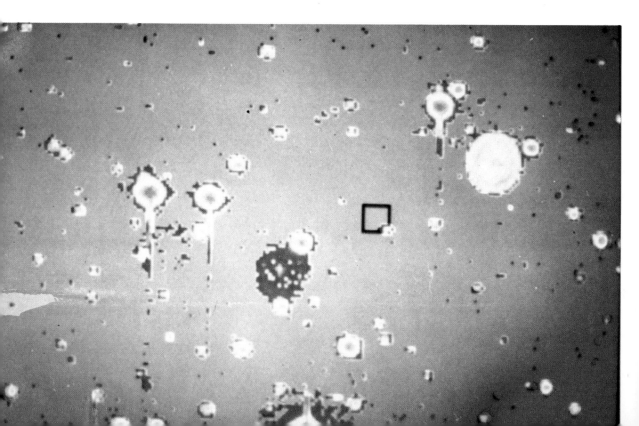

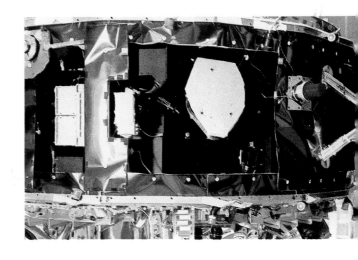

des objets — comme le Soleil — atteignant plusieurs milliers de degrés. Les objets à basse température, eux, ont un rayonnement infrarouge. Inversement, les objets à très haute température, à plusieurs millions de degrés, émettent un rayonnement X et, à quelques milliards de degrés, ils sont créateurs d'un rayonnement gamma...

Or notre œil ne peut percevoir ces rayonnements, qu'en outre l'atmosphère de la Terre arrête ! Aussi longtemps que l'homme observa la seule lumière du ciel, il ignora les rayonnements X ou gamma, pourtant très riches d'informations. Car leur existence est sans doute liée à des cataclysmes cosmiques, probablement très fréquents, aussi bien dans notre Galaxie que partout ailleurs dans le vaste Univers.

La guerre des étoiles

On sait aujourd'hui que se déroulent dans le ciel de véritables batailles d'étoiles dont l'ampleur dépasse tout ce que les auteurs de science-fiction ont imaginé : ce sont des astres qui combattent entre eux. Ici, ils se dévorent mutuellement leur atmosphère. Là, par leur puissant champ d'attraction, ils brisent leurs voisins, jonglant avec leurs fragments aussi aisément que nous cassons la coquille d'un œuf et faisons passer le jaune d'un fragment dans l'autre.

Dans certaines régions du ciel, il semble que des galaxies entières explosent et que d'autres naissent du néant.

Notre Univers subit donc de nombreux bouleversements — le calme que nous connaissons est exceptionnel — et cela probablement depuis toujours. Comme si les événements qui ont marqué sa longue histoire découlaient de phénomènes intervenus à des températures si élevées que la matière n'y avait pas du tout l'aspect qu'elle revêt aujourd'hui.

Une étoile, dont la température en surface atteint 100 000 °C, émet essentiellement une lumière ultraviolette. C'est un rayonnement X qu'émet un objet à 1 million de degrés. Et si la température d'une source atteint le milliard de degrés, elle sera créatrice d'un rayonnement gamma. Nous ne voyons pas ces objets cataclysmiques, mais les satellites les décèlent.

*Quarks et protons naquirent
dans la première seconde de l'Univers,
les quinze milliards d'années
qui suivirent ayant été marqués
par l'œuvre des atomes.*

Le grand
big bang

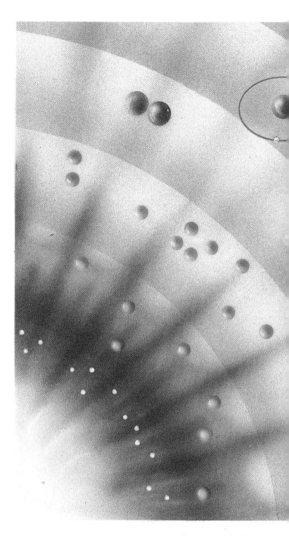

Le plus grand des cataclysmes de l'Univers fut probablement sa naissance. Une histoire que les astronomes commencent à reconstituer.

Les travaux ont débuté en 1916. Cette année-là, en publiant sa théorie de la Relativité générale, Einstein affirme que l'Univers doit être considéré comme « illimité, mais fini » ; en d'autres termes, si vous avancez en ligne droite, vous reviendrez à votre point de départ. Il soutient encore que cet Univers ne saurait être stable : il se dilate ou se contracte.

Une histoire vieille
de 15 milliards d'années

Quelques années plus tard, l'astronome Hubble, utilisant l'instrument du mont Wilson, fait une étonnante constatation : toutes les galaxies paraissent s'éloigner de la nôtre, et d'autant plus vite qu'elles sont plus lointaines.

En 1927, l'abbé Lemaître imagine l'atome primitif dont l'explosion aurait engendré l'Univers. Une thèse que les Américains reprennent en 1947 sous le nom de « grand big bang » et que depuis, toutes les découvertes semblent confirmer.

Ainsi l'Univers serait né, il y a 15 milliards d'années, d'une toute petite chose... A cette époque, la matière n'était pas comme aujourd'hui répartie à travers un espace dont les dimensions sont vertigineuses, mais concentrée dans un volume beaucoup plus petit qu'une balle de tennis. Elle était sans doute déjà l'aboutissement d'une longue évolution, poursuivie depuis le temps où sa taille n'était même pas celle d'un atome.

Les protons et les neutrons qui constituent les noyaux de nos atomes n'existaient pas encore. Mais une série fantastique d'événements successifs se

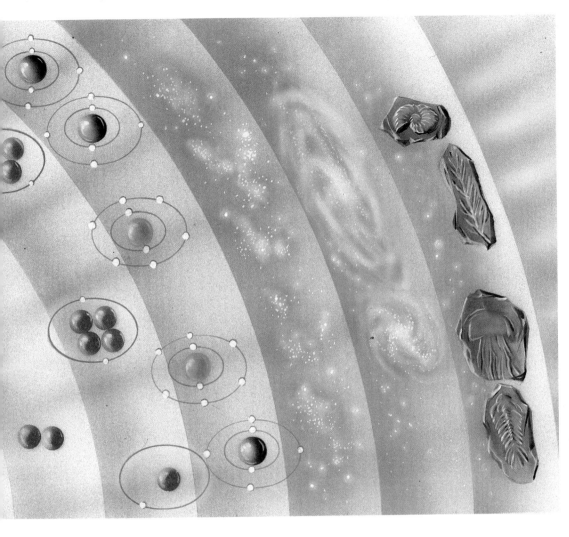

produisit en un temps incroyablement court durant le premier milliardième du premier milliardième de milliardième, de milliardième, de milliardième de seconde de la vie de l'Univers, à une époque où la température se chiffrait en milliards de milliards de milliards de degrés et où la matière naissante se composait de particules appelées « quarks », animées d'une énergie prodigieuse et dont le refroidissement allait donner naissance à toute une cascade de particules, à nos protons, à nos neutrons...

Pendant combien de temps l'expansion de l'Univers va-t-elle se poursuivre ? Cela dépend de la densité de sa matière actuelle. Or, nos mesures ne sont pas encore assez précises pour trancher entre une expansion indéfinie et une contraction qui, après 40 milliards d'années, réduirait à nouveau l'Univers à un point.

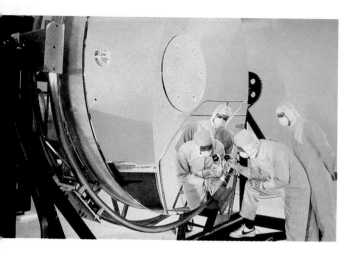

C'est à l'ordinateur qu'a été effectué en 1980, par Perkin Elmer, le polissage du grand miroir en silicate de titane du Space Telescope.

Voir la naissance de l'Univers

Les rayons lumineux pénètrent à gauche. Ils atteignent le miroir primaire qui les réfléchit vers le miroir secondaire. Ce dernier les envoie vers les appareils à travers un orifice que présente en son centre le miroir primaire.

La naissance de l'Univers : une aventure prodigieuse, passionnante. Nous écoutons attentivement ceux qui la racontent. Mais si nous pouvions assister à ce fantastique événement !

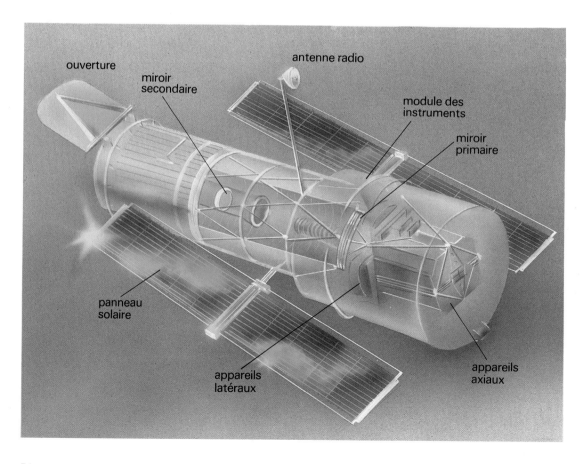

ouverture

antenne radio

miroir secondaire

module des instruments

miroir primaire

panneau solaire

appareils latéraux

appareils axiaux

Un étonnant satellite nous le fait espérer : le *Space Telescope.* Conçu pour fonctionner en orbite autour de la Terre, il aura une portée de 30 milliards d'années-lumière. Nos plus puissants instruments actuels, qui se limitent à 10, nous permettent déjà de plonger dans l'espace. Ils nous montrent des objets dont la lumière a mis 10 milliards d'années à nous parvenir, et c'est dire que nous les voyons tels qu'ils étaient à cette très lointaine époque. Le *Space Telescope,* dont la portée dépassera le rayon de l'Univers, devrait nous en faire « voir » la naissance et nous renseigner sur ce qu'il y avait « avant », si toutefois il y a eu un « avant ».

Un télescope hypersensible

Cet instrument sera lancé par la navette en 1986. Son ouverture sera de 2,4 m, mais l'espace lui assurera les performances d'un instrument conventionnel de 24 m. Actuellement, les deux plus grands instruments, en service au mont Palomar (Californie) et à Zeleutcheskaia (Caucase) ont respectivement 5 et 6 m d'ouverture. Le *Space Telescope* fonctionnera en régime entièrement automatique après que des équipages aient réglé ses instruments : car les seuls battements du cœur humain suffiraient à fausser les visées.

Derrière l'engin se trouvera une caméra munie de dispositifs amplificateurs capables d'enregistrer le moindre grain de lumière, et de « mémoires » qui permettront de faire la somme des illuminations reçues en dix heures de pose.

Et les scientifiques prévoient déjà qu'après cinq années, le *Space Telescope* reviendra sur Terre pour recevoir de nouveaux équipements.

Cinq instruments — dont une caméra pour objets faiblement lumineux, destinée à faire voir les planètes des étoiles — équipent le Space Telescope. Tous sont munis de caméras électroniques, 50 fois plus sensibles que la meilleure plaque photographique. De cet appareil, les scientifiques attendent une multiplication par 350 du volume de l'Univers accessible à leur investigation.

Le Telescope Spatial a déjà coûté l'équivalent de 10 milliards de francs. Ce n'est pas cher, estiment les astronomes, si l'instrument nous instruit sur l'origine de l'Univers. Il s'agit de la plus grande entreprise scientifique de tous les temps. Les Américains en sont les maîtres, mais les Européens y sont associés pour 15 %.

ET est merveilleux. Son histoire nous apparaît comme le grand conte de fées des temps modernes.

A l'écoute d'autres civilisations

IRAS a révélé aux astronomes un système planétaire en voie de formation (qui a pu depuis lors être photographié par l'observatoire de Las Campanas) autour de la jeune étoile Béta Pictoris.

Comment l'Univers est-il né ? Une question passionnante. Tout autant que celle-ci : combien de planètes ont, comme la Terre, connu une aventure de la vie et de l'intelligence ?

A la recherche d'autres planètes

Nos progrès dans la connaissance de notre système solaire ont permis de savoir que notre planète y est la seule à porter des formes supérieures de vie.

Mais pourquoi les autres étoiles ne seraient-elles pas, comme le Soleil, entourées de planètes ? En théorie, ce devrait être le cas, et en 1983, le satellite IRAS a décelé une « matière froide » qui laisse supposer que des objets existent autour de Véga, de Fomalhaut, de Epsilon Eridani et de Béta Pictoris.

Le *Space Telescope* aura pour tâche de repérer l'existence éventuelle de planètes, et il emportera à cette fin une « caméra pour objets faiblement lumineux ».

Mais si nous les découvrons, ces terres des autres étoiles ne nous apparaîtront que comme des points. Comment observer leur surface et savoir si la vie s'y est développée ? Aucune solution technique ne se dessine pour l'instant ; quant au « voyage », il est

Premier message interstellaire envoyé par la Terre, ce dessin a été émis sur la longueur d'onde de 12,6 cm depuis Arecibo, en novembre 1974, en direction de l'amas d'Hercule. Il prétend exprimer notre numération, la structure de l'acide nucléique de nos chromosomes, l'homme, le système solaire, notre technique...

inimaginable tant il devrait mettre en œuvre d'énergie et de temps.

Pourtant, un grand espoir se fait jour. Si sur quelque planète de la Voie Lactée, une civilisation disposait de moyens comparables aux nôtres — ce qui semble possible puisque la matière et ses lois sont universelles —, elle aurait certainement, comme la nôtre, construit des radiotélescopes. Or ceux-ci peuvent être des moyens de communication : actuellement, les plus grands envoient plusieurs caractères par seconde à des milliers d'années-lumière.

Dans l'attente d'un message

Imaginez ainsi, à 2 000 années-lumière, une civilisation qui aurait 2 000 ans d'avance sur la nôtre, et qui aurait envoyé il y a 2 000 ans un message racontant son histoire et celle de sa planète. Nous pourrions le recevoir ce soir...

Ainsi s'est mis en place l'extraordinaire programme d'écoute SETI (Search for Extra Terrestrial Intelligence) auquel coopèrent un certain nombre de radiotélescopes à travers le monde. Il représente notre chance de connaître demain des intelligences extra-terrestres, si elles existent...

Le 8 avril 1960, l'astronome Frank Drake effectuait la première écoute du ciel. Ce jour-là, il dirigea le radio-télescope de Green Bank vers les étoiles Epsilon Eridani et Tau Ceti. Depuis lors, le ciel est épisodiquement écouté à partir des États-Unis, du Canada, de l'URSS et de l'Europe...

Albert Ducrocq raconte

Références photographiques

p. 8 : Nathan ; p. 10 : A. Ducrocq ; p. 12 : G. Dagli Orti ; p. 14 : J.-L. Charmet ; p. 15 : NASA ; p. 16 h : SETI ; p. 16 b : NASA ; p. 18 h : SYGMA, Tiziou ; p. 18 b : NASA ; p. 19 : NASA ; p. 20 h : Nauk ; p. 20 b : NASA ; p. 22 : NASA ; p. 23 : NASA ; p. 24 : NASA ; p. 25 : NASA ; p. 26 : NASA ; p. 27 : SYGMA, Tiziou ; p. 30 h : PIX, Berenger ; p. 30 b : Bulloz ; p. 31 : SYGMA, Tiziou ; p. 32 h : NASA ; p. 32 b : J.-L. Charmet ; p. 33 : NASA ; p. 34 h : J.P.L. ; p. 34 b : NASA ; p. 35 : NASA ; p. 36 h : SETI ; p. 36 b : NASA ; p. 38 : NASA ; p. 39 : Palais de la découverte ; p. 40 : Roger-Viollet ; p. 41 : SYGMA, Steiner ; p. 42 : NASA ; p. 43 : SYGMA, Tiziou ; p. 44 h : G. Dagli Orti ; p. 44 b : NASA ; p. 45 : NASA ; p. 46 h : SETI ; p. 46 b : NASA ; p. 47 : NASA ; p. 48 : G. Dagli Orti ; p. 49 : NASA ; p. 50 : SETI ; p. 51 : SETI ; p. 52 : SETI ; p. 53 : Agence Spatiale Européenne ; p. 56 : Perkin ; p. 57 : NASA ; p. 58 h : SYGMA, Lambray ; p. 58 b : ESA ; p. 59 : SETI.

Illustrations des encadrés :
Daniel Le Noury

Illustration de couverture :
J.-B. Tournay

Recherches iconographiques :
Brigitte Richon

Nº d'éditeur : X 34499 — Dépôt légal : Mars 1985
Imprimerie Lescaret, Paris